De la race en Amérique

Barack Obama

De la race en Amérique

Traduction et introduction de
FRANÇOIS CLEMENCEAU

BERNARD GRASSET
PARIS

ISBN 978-2-246-74141-1

« Mais supposons que Dieu soit noir, que se passe-t-il si nous arrivons au Ciel et qu'on a traité le Noir toute sa vie comme un être inférieur ? »

Sénateur Robert Kennedy,
23 août 1966

Le discours de Philadelphie de Barack Obama est probablement le plus important de sa carrière politique. C'est aussi un texte exceptionnel dans la mesure où aucun homme politique depuis les années 60 ne s'est exprimé de façon aussi claire et aussi lucide sur les rapports raciaux aux Etats-Unis.

Barack Hussein Obama est né en 1961 à Honolulu, à Hawaï. Son père qui lui a donné son nom et son prénom, élevé dans la religion musulmane, a été gardien de chèvres et cuisinier dans sa jeunesse, au bord du lac Victoria, avant d'être envoyé par des missionnaires chrétiens dans un lycée de Nairobi. Grâce à une bourse, il a pu se rendre aux Etats-Unis pour étudier l'économie à l'Université d'Hawaï. C'est là qu'il rencontre une jeune femme originaire du Kansas, Ann Dunham, fille d'un représentant en mobilier d'appartement et d'une employée de banque.

Elle a 18 ans, elle est fascinée par Martin Luther King et connaît tout le répertoire du chanteur noir Harry Belafonte. Elle prépare un diplôme d'anthropologie. Elle épouse son amoureux kényan de six ans plus âgé qu'elle, et Barack *junior* naît un an plus tard.

Le mariage est un échec. L'enfant est encore au biberon lorsque ses parents divorcent. Son père quitte le foyer pour poursuivre ses études à Harvard, puis retourne au Kenya quelques années plus tard. Ann Dunham se remarie avec un autre étudiant étranger. Il est indonésien. Le couple déménage à Djakarta en 1967. Ann met au monde un deuxième enfant, Maya. Pour éviter une rupture culturelle trop forte avec l'Amérique, Barack est scolarisé dans une école chrétienne franciscaine puis, au bout de deux ans et pour des raisons de commodité, dans une école communale musulmane de son quartier. Ces quatre années ont été difficiles à vivre toutefois. Ann sent que son couple vacille et envoie Barack vivre avec ses grands-parents, à Hawaï.

Jusqu'à ses premiers pas d'étudiant, Barack Obama, surnommé Barry par ses proches, n'a donc jamais vécu à proximité ni, *a fortiori*, au sein d'une communauté noire. Dans son lycée d'Honolulu, il n'y avait que trois élèves noirs sur mille deux cents. La réalité de la coexistence raciale, Obama ne la découvrira qu'au début des années 80, en allant étudier sur la côte Ouest, à l'Occidental College de Los Angeles, puis sur la côte Est, à l'université de Columbia, à New York. Le brillant jeune homme obtient deux diplômes, en sciences politiques et en relations internationales, qui lui ouvrent les portes du groupe de consultants et de presse économique *Business International*, où il s'exerce au métier d'analyste financier.

Après un an d'une vie de bureau dotée d'un salaire enviable, Barack Obama veut passer à autre chose. Une rencontre avec un animateur social chrétien lui donne l'occasion de s'aventurer à Chicago sur le terrain difficile de l'aide aux laissés-pour-compte. Si Chicago, c'est le Business District et sa *skyline* au bord du lac Michigan, il y a aussi le South Side et les quartiers dévastés par la crise des années 80. Ce qui était une mission devient un métier à plein temps pour Obama. Le Projet de développement communautaire *(Developing Communities Project)* qui l'a recruté, organisation financée par le diocèse catholique de Chicago mais gérée par le réseau local des Eglises baptistes noires, le paie 1 000 dollars par mois pour créer des réseaux de solidarité et de formation. Barack Obama, qui était en quête d'une identité sociale et religieuse plus précise, trouve des éléments de réponse au cœur de cette pauvreté et de cette dérive de la communauté noire du South Side. Lui qui était tiraillé entre l'islam de son père et de son beau-père, entre l'environnement protestant d'Hawaï et ses maîtres catholiques en Indonésie, au point de ne plus avoir de cap religieux précis, découvre à l'âge adulte des êtres qui vivent leur foi en la mettant en pratique. Et sa mission auprès des défavorisés lui prouve assez rapidement que rien ne peut se construire de durable sur le plan social sans intégration dans une communauté. La Trinity Church est en pleine ascension. Elle rassemble des Noirs venus de toutes classes sociales, jusqu'à Oprah Winfrey, la star de la télévision, qui s'y rend souvent le dimanche. Le révérend Wright, qui l'anime, est proche du « Black Power », le mouvement qui avait inspiré les Black Panthers et les Black Muslims de Malcolm X, voulant donner aux Noirs tentés par l'assimilation une vision beaucoup plus communautariste afin qu'ils restent fidèles à leurs racines africaines et au souvenir de leurs ancêtres asservis.

Le révérend Wright prêche sous le regard d'un Christ noir représenté sur un vitrail. Au fil des conversations, une amitié se noue. Barack Obama dira plus tard qu'il considère le Révérend comme « quelqu'un de sa famille », un oncle ou un parrain avec qui il se sent en confiance, un conseiller spirituel qui lui fait redécouvrir les fondamentaux de la foi chrétienne. C'est dans cette église qu'il se marie en 1992 avec Michelle Robinson, une jeune et brillante avocate noire et, quelques années plus tard, qu'il fait baptiser leurs deux filles, Malia et Sasha.

Après trois ans passés dans les rues et les foyers du South Side, il est retourné à l'Université. Et quelle Université! La plus réputée, Harvard, aux portes de Boston, dans ce Massachusetts qui a vu accéder un des fils, John Kennedy, à la présidence des Etats-Unis. Barack Obama obtient le titre très convoité de rédacteur en chef de la *Harvard Law Review*. Il y est parvenu à la suite d'une élection. Les étudiants, divisés entre

10

dix-neuf candidats, ont fini par s'entendre après de multiples tours de scrutin sur celui qui savait « concilier les points de vue des uns et des autres », un homme de compromis, le premier Noir qui dirigerait la plus prestigieuse revue de droit d'Amérique.

Si, à Chicago, Obama avait pris goût à l'organisation et aux réseaux, à Harvard il se passionne pour le débat et la chose publique. De retour dans l'Illinois, il s'inscrit au barreau et entre dans un cabinet d'avocats où il est chargé des dossiers de défense des droits civiques. C'est décidé, il fera de la politique. Il vise le Sénat de l'Etat de l'Illinois. Et quelle meilleure assise que cette banlieue sud de Chicago qu'il connaît par cœur pour l'avoir sillonnée dans tous les sens ? Le 13ᵉ district devient son fief. En 1996, il y gagne la primaire démocrate contre la candidate sortante, qui avait trente ans de vie associative et militante à son actif, puis l'élection. Il est réélu en 1998. Deux ans plus tard, il ne réussit pas à devenir représentant de l'Illinois au Congrès. Premier obstacle dans le parcours d'un jeune homme ambitieux sous ses airs nonchalants. Il le contourne en se faisant réélire au Sénat de l'Illinois. Qu'il y siège, au départ, dans les rangs de l'opposition parlementaire ou, ensuite, au sein de la majorité, Obama se fait remarquer par son ouverture au dialogue. Pour faire voter des lois importantes, notamment dans le domaine de l'assurance santé, il est capable de passer des compromis avec ses adversaires républicains. Il n'est pas moins fier d'avoir fait adopter une loi qui oblige la police à filmer les interrogatoires des suspects dans les commissariats et une autre qui impose aux policiers de noter dans leurs procès-verbaux la race de la personne arrêtée, afin de lutter contre le délit de faciès.

En 2002, alors que le pays est en guerre en Afghanistan contre Oussama Ben Laden et les terroristes qui ont défié l'Amérique lors des attentats du 11 septembre, les préparatifs de l'invasion de l'Irak se précisent. Les Américains serrent les rangs derrière un président Bush au sommet de sa popularité. Seule l'aile gauche du parti démocrate résiste, balançant entre un extrême scepticisme et une franche opposition. Barack Obama prend part à un rassemblement organisé par des associations pacifistes sur la Federal Plaza de Chicago, prononçant un discours où il s'insurge contre une guerre qui semble décidée d'avance, non pas parce qu'il « s'oppose par principe à toutes les guerres », mais parce qu'il « s'oppose uniquement aux guerres idiotes ».

En 2004, à la Convention nationale du parti démocrate qui doit officialiser la candidature à la présidentielle de John Kerry et de son colistier John Edwards, Obama est invité à parler. Le discours qu'il prononce fait dire à certains commentateurs qu'il faudra compter avec ce jeune élu de l'Illinois, candidat depuis peu au Sénat des Etats-Unis, dans une prochaine élection à la Maison-Blanche. Trois phrases sont reprises par les médias, jusqu'à l'étranger : « Il n'y a pas d'Amérique noire, ni d'Amérique blanche, pas d'Amérique latino, ni d'Amérique asiatique, il n'y a que les Etats-Unis d'Amérique. » Le jeune élu va encore plus loin :

12

« Nous prions Dieu dans les Etats démocrates et nous n'aimons pas que les agents fédéraux fouinent autour de nos bibliothèques publiques dans les Etats républicains. Nous sommes les entraîneurs de nos enfants au sein des ligues junior de football dans les Etats démocrates et, oui, nous avons des amis homosexuels dans les Etats républicains. » Et de conclure cet appel fédérateur par ces mots : « Devons-nous faire de la politique en nous fondant sur le cynisme ou bien sur l'espoir ? »

Alors que, en coulisses, il révisait une dernière fois son discours, un jeune homme s'approche de lui. Il s'appelle Jon Favreau. Il a 23 ans. Jeune diplômé de l'université de la Sainte Croix dans le Massachusetts, il s'est engagé dans l'équipe des *speechwriters* de John Kerry. Son savoir-faire et son enthousiasme lui vaudront d'être recruté quelques mois plus tard par les conseillers d'Obama. Celui-ci ne savait pas qu'il deviendrait l'un des rédacteurs du discours de Philadelphie.

John Kerry est battu par George Bush en novembre 2004. Barack Obama, de son côté, est élu au Sénat fédéral avec 70 % des suffrages. Il a battu un candidat républicain, noir lui aussi, mais parachuté et peu crédible. Les observateurs notent tout de même qu'Obama a obtenu une très large majorité dans chacune des communautés, blanche, noire et latino, de l'Illinois. A Washington, le sénateur Obama tente de consolider sa réputation d'homme de compromis et d'étendre ses compétences en politique étrangère. Il entre à la Commission des affaires étrangères, recrute des conseillers de haut niveau, notamment des anciens de l'équipe diplomatique de Bill Clinton. Il s'active avec des sénateurs républicains pour faire voter des lois bipartisanes ; avec succès, dans le domaine de la lutte contre la prolifération nucléaire ou contre la corruption et l'influence des lobbies ; vainement, en ce qui concerne une loi censée réguler les flux migratoires et régulariser les immigrés clandestins.

En novembre 2006, les démocrates reprennent la majorité au Congrès. La guerre en Irak est devenue impopulaire. Le pays est entré en précampagne présidentielle. Barack Obama a pesé le pour et le contre, consulté son épouse Michelle et ses collaborateurs. La phrase qui revient le plus dans ces consultations ? « C'est maintenant ou jamais. » L'homme déterminant, celui qui va lancer l'énorme machine de la candidature à la nomination du parti, c'est David Axelrod. Ancien journaliste du *Chicago Tribune* reconverti dans la communication politique, il est à l'origine des succès électoraux d'un ancien collaborateur de Bill Clinton, le jeune démocrate juif Rahm Emmanuel, élu dans une circonscription de l'Illinois à forte minorité polonaise, et du maire de Chicago, Richard Daley. David Axelrod a étudié des années durant ce qu'il appelle la sociologie électorale urbaine. Il est convaincu que ce ne sont pas les programmes qui font gagner un candidat, mais la capacité des électeurs à s'identifier à un homme ou à une femme qui les écoute et prend leurs revendications à sa charge. Il avait travaillé en 2004 pour John Edwards, « le fils de

meunier devenu avocat millionnaire », puis pour Eliot
Spitzer, « le flic de Wall Street élu gouverneur »,
depuis démissionnaire à la suite d'un scandale provo-
qué par sa fréquentation assidue de prostituées, qui a
paru bien contradictoire avec sa croisade pour la
moralisation de la politique. En 2006, c'est grâce à
Axelrod que le Massachusetts a élu son premier
gouverneur noir, Deval Patrick, dont il a conseillé la
campagne.

Barack Obama a choisi les marches du Capitole de
Springfield, capitale de l'Illinois, pour déclarer sa
candidature à la présidence des Etats-Unis. En ce
10 février 2007, ils sont des centaines à avoir bravé un
froid polaire, sous un beau soleil d'hiver, pour assister
à ce moment unique. Un Noir candidat à la Maison-
Blanche, il y en a déjà eu, mais celui qui se présente
devant eux, longue silhouette fine dans un manteau
sombre, arrive dans les sondages en deuxième position
parmi les candidats, déclarés ou non, à la nomination
démocrate. Hillary Clinton, qui a dévoilé ses intentions voici quelques semaines, est la grande favorite.
Elle distance Obama de 15 à 25 points. Mais pour les
partisans d'Obama, tout est jouable. *I stand before
you today to announce my candidacy...* » : l'homme qui
parle devant eux avec distinction et détermination
paraît avoir toutes les chances de devenir le 44e président des Etats-Unis.

Dans le panthéon des grands hommes d'Etat américains, Barack Obama vénère Abraham Lincoln. Sa
photo orne un mur de son bureau à Washington.

15

Dans son discours de candidature, l'ancien président est cité, autant comme référence morale que comme modèle politique. Comme lui, Obama est devenu avocat après une expérience de « terrain ». Comme lui, il a démarré sa carrière politique dans l'Illinois avant de rejoindre le Congrès à Washington. Comme lui, il veut réconcilier les conservateurs et les libéraux, les Nordistes et les Sudistes, les Blancs et les Noirs : « C'est parce que des hommes et des femmes de toutes races, de tous milieux, ont poursuivi leur marche vers la liberté bien après la mort de Lincoln, qu'aujourd'hui nous avons la chance d'affronter les défis de ce siècle ensemble, comme un seul peuple, comme des Américains, dit Obama avant de conclure : Je veux que nous reprenions ensemble ce travail inachevé qui consiste à parfaire notre Union. »

Treize mois plus tard, après une spectaculaire victoire dans les caucus de l'Iowa, la première pour un Noir dans cet Etat majoritairement blanc, et plusieurs autres retentissants succès, notamment lors de la vingtaine de scrutins du fameux *Super Tuesday*, l'équipe de campagne de Barack Obama, jusqu'ici épargnée par les rumeurs et le scandale, se voit stoppée net dans sa course.

Le 13 mars 2008, le journal du soir d'ABC News a consacré un long reportage à la Trinity Church of Christ de Chicago. L'équipe d'investigation de la chaîne, qui a acheté les enregistrements vidéo des sermons du révérend Wright, en diffuse des extraits, des plus sulfureux. Depuis quelques jours déjà, des bribes s'en trouvaient sur Internet. Des bloggeurs et des éditorialistes commencent à parler d'un *Trinitygate*. Obama a essayé de calmer l'affaire en affirmant qu'il avait très rarement assisté à des sermons susceptibles de lui faire quitter les bancs de l'église. Il n'a pas lu le bulletin paroissial d'août 2005 dans lequel le révérend Wright a écrit que les attentats du 11 septembre étaient un « signal d'alarme » pour l'Amérique, « afin qu'elle se rende compte que les Noirs et les Arabes existent toujours ». Il n'était pas assis sur les bancs de l'église le jour où le révérend Wright a hurlé : « Que Dieu bénisse l'Amérique ? Non, non, non. Pas Dieu bénisse l'Amérique : Dieu maudisse l'Amérique ! »

Ces incantations politico-bibliques n'ont que très rarement été reprises par la presse nationale américaine ces dernières années. Certains journaux de Chicago, la presse religieuse, les magazines de la communauté noire ont en revanche évoqué plus d'une fois l'existence de ce pasteur, signalant sa proximité spirituelle avec Louis Farakhan, le chef de la Nation de l'islam, l'organisation la plus puissante des Afro-Américains musulmans, dont le siège se situe à quelques centaines de mètres de la Trinity, ou encore un voyage à Tripoli du temps où Kadhafi n'était pas encore redevenu fréquentable. Mais nous ne sommes plus, ce 13 mars, dans le registre d'une conspiration d'internautes effarés de découvrir une photo de Jeremiah Wright bras dessus bras dessous avec Obama. Ce soir-là, le scandale est en *prime time*, offert à des millions de téléspectateurs des journaux télévisés, dont l'audience est constituée en majorité de seniors éduqués et qui, selon les sondages, suivent la campagne des primaires avec un « très grand intérêt ». Pour Obama, il va falloir autre chose que des démentis pour effacer les doutes qui émergent sur sa personnalité autant que sur sa sincérité. Aurait-il dissimulé ses intentions en jouant de sa mère blanche alors que ce pasteur, de qui il se dit si proche, semble haïr les Blancs ?

Ce même jour, une déclaration est abondamment commentée dans les médias. Geraldine Ferraro, qui reste dans la mémoire des démocrates comme la première femme à avoir été choisie comme candidate à la vice-présidence, en tant que colistier de Walter Mondale en 1984, vient de déclarer à un journal de Los Angeles : « Barack Obama ne serait pas là où il en est s'il était blanc ou s'il était une femme. » Ce n'est pas la première fois que l'entourage d'Hillary Clinton s'aventure sur le terrain de la question raciale. La controverse avait déjà atteint un sommet lors de la primaire de Caroline du Sud, fin janvier.

Les Noirs composent près de la moitié de l'électorat démocrate dans cet Etat du Sud où l'héritage culturel de la guerre de Sécession reste lourd. Hillary Clinton, dont le mari avait été qualifié de « premier président noir des Etats-Unis » par la romancière afro-américaine Toni Morrison, ne désespérait pas de convaincre les sympathisants noirs et blancs du parti de voter pour elle, comme si elle était dépositaire de ce lien si particulier que Bill Clinton avait su nouer avec

18

la communauté noire du temps de sa présidence. Pour la confirmer dans ses attentes, le jour du vote, Bill Clinton déclare : « Barack Obama a mené une bonne campagne ici, tout comme Jesse Jackson avait mené une bonne campagne. » L'ancien président aurait-il voulu enfermer Obama dans le réduit des porte-parole de la seule communauté noire condamnés à des candidatures de témoignage qu'il ne s'y serait pas pris autrement. Le révérend noir Jesse Jackson, candidat à l'élection présidentielle en 1984 et en 1988, avait lancé le concept d'une « Coalition arc-en-ciel », mais son positionnement politique ne lui avait permis de gagner, lors de sa deuxième tentative, que sept primaires sur cinquante, et cela dans les seuls Etats où l'électorat noir était important, la Louisiane, le Mississippi ou, précisément, la Caroline du Sud.

Barack Obama remporte finalement ce premier scrutin organisé dans le Vieux Sud, triomphant au sein de l'électorat noir et ralliant un quart de l'électorat blanc. « L'Amérique est prête pour un président noir », avait dit David Axelrod le soir de la victoire en Iowa. « Personne ne soupçonne, avait-il ajouté, à quel point les Américains ont mûri et veulent entrer dans une société post-raciale. » Avec le *Trinitygate*, rien n'est moins sûr. L'affaire est devenue un point de fixation dans les médias. L'opinion est troublée. Il faut agir. Et vite. En moins d'une semaine, Obama, Axelrod et l'équipe de *speechwriters* menée par Jon Favreau se mettent au travail. Un lieu a été choisi : Philadelphie. Une date : le 18 mars, celle où débutera la campagne d'Obama pour la primaire de Pennsylvanie.

L'objectif n'est pas uniquement de répondre à la polémique sur le révérend Wright. Il faut prendre le temps d'expliquer aux Américains blancs ce qu'est un Noir aux Etats-Unis en 2008, et un chrétien noir dans une Eglise noire. Et comment il se définit par rapport à la majorité blanche. En un mot, dire ce que personne d'autre n'avait osé dire au cours d'une campagne présidentielle. Remettre dans un contexte historique l'évolution des rapports raciaux depuis les origines des Etats-Unis et de la démocratie américaine. Rappeler le temps de l'esclavage et la façon dont les Pères fondateurs ont préféré mettre cette question de côté pour accélérer l'indépendance. Evoquer Jim Crow, ce personnage de Guignol noir interprété dès les années 1820 par des acteurs de théâtre de rue qui se noircissaient le visage pour se moquer des « nègres ignorants et superstitieux mais doués pour le chant » ; Jim Crow, nom générique de toutes les lois ségrégationnistes adoptées jusque dans les années 50. Revenir sur ces années de contrainte où les Noirs étaient interdits de tout dès l'instant où cela impliquait la moindre possibilité d'émancipation. Que ce soit à travers le mariage mixte, l'école des Blancs, les prêts au logement accordés par la *Federal Housing Administration* (FHA) ou les transports publics. Séparés mais égaux, selon la formule, une pratique de « vie à part » connue en Afrique du Sud sous le nom d'apartheid.

Barack Obama ne veut dénoncer ni condamner qui ce soit dans ce discours de Philadelphie. Surtout ne rien dire ni suggérer qui puisse être interprété comme un argument de campagne négatif vis-à-vis d'Hillary Clinton ou de John McCain. Il s'agit de se poser en fédérateur, en trait d'union dans le débat qu'il veut amorcer sur la question raciale. Il n'appellera donc pas à la rescousse Martin Luther King et John Kennedy, deux icônes à qui beaucoup le comparent. Si, en janvier, lors de la journée annuelle dédiée à la mémoire de Martin Luther King, il a eu l'occasion de saluer la mémoire de ce prix Nobel de la paix, si l'homme qui doit le présenter aux invités du discours de Philadelphie est un ancien collaborateur du président assassiné, Barack Obama ne tient pas à ce que son discours soit assimilé à celui qu'avait prononcé John Kennedy le 12 septembre 1960 : il y avait brisé un tabou, une fois sa nomination acquise, en affirmant que, s'il était élu, sa foi catholique n'en ferait pas un agent aux ordres du Vatican, crainte toujours sous-jacente dans un pays majoritairement protestant. Enfin, si Obama a prévu de citer Ronald Reagan, c'est pour brièvement évoquer l'art et la manière avec lesquels le président républicain avait su rallier à lui, au début des années 80, un vaste mouvement politique et religieux basé sur les valeurs traditionnelles de l'Amérique.

Le lieu est des plus symbolique. Ce sera au premier étage du musée de la Constitution, dans cette ville de Philadelphie où fut conçue la démocratie américaine et où séjournèrent tout à la fois les rédacteurs et les signataires de la Déclaration d'indépendance puis les signataires de la Constitution. Le point de départ d'Obama, en ce 18 mars, ne peut être qu'un dénominateur commun, un emblème, une référence intouchable. « *We the people* » : ce sont les trois premiers mots écrits à la plume, en gras et en capitales, en tête du préambule de la Constitution, un texte dont il est un expert, lui qui fut le premier rédacteur en chef noir de la *Harvard Law Review*, et à qui il doit beaucoup, lui, le seul Noir à siéger au Sénat fédéral, le troisième seulement de l'histoire parlementaire américaine, lui, le premier métis à être en mesure de devenir président des Etats-Unis.

A dix heures et demie, devant une rangée de huit drapeaux américains, le sénateur de l'Illinois vérifie que le texte, sur lequel il a travaillé jusqu'à deux heures du matin, a bien été calé sur les deux prompteurs disposés à droite et à gauche de son pupitre. Il commence : « *We the people...* » De sa voix grave et posée, il met les accents sur les mots clefs : Union, patriotes, tyrannie, esclavage... En quarante minutes, Barack Obama sera interrompu dix-sept fois par des applaudissements – dans la deuxième partie de son discours, une fois qu'il aura évoqué les tenants et les aboutissants de la polémique sur le révérend Wright. Le public applaudit chacun des passages qui évoquent le refus de simplifier à l'extrême le débat racial, les fautes partagées par les Blancs et les Noirs et le besoin d'unité des Américains.

Hillary Clinton avait, depuis le début de la campagne, ironisé plusieurs fois sur les qualités de « beau parleur » de Barack Obama. Elle a repris cette formule : « On peut faire campagne avec des poèmes mais on gouverne en prose. » Pourtant, le lendemain du discours de Philadelphie, le *Washington Post* estimait que l'Amérique avait assisté « à un extraordinaire moment de parler vrai ». Les jours suivants, les sondages d'opinion indiquaient qu'Obama avait réussi son pari : non seulement sept électeurs sur dix, toutes tendances confondues, estimaient que le sénateur de l'Illinois avait « bien expliqué » les causes et les conséquences de la polémique sur les propos du pasteur Wright, mais deux sur trois affirmaient partager la philosophie de Barack Obama sur la question raciale. Le texte et la vidéo du discours de Philadelphie ont été téléchargés sur Internet plusieurs millions de fois, record absolu dans l'histoire de la vie politique américaine. Les commentateurs de tous bords ont qualifié cette prestation de « décisive ». Si Barack Obama n'avait pas réagi à temps et de la sorte, sa candidature aurait probablement déraillé. Au-delà de la dureté d'une campagne aussi féroce qu'interminable, au-delà de la pédagogie utilisée comme arme de défense dans une polémique dangereuse, Barack Obama a prouvé à Philadelphie qu'il était à même d'établir un diagnostic sans concessions sur l'état du racisme aujourd'hui aux Etats-Unis et de dessiner les perspectives d'une société post-raciale.

Pour beaucoup, il y aura eu un avant et un après-Philadelphie. Ce qui fait de Barack Obama non seulement un prétendant des moins « conventionnel » à la Maison-Blanche, comme il le dit lui-même, mais encore un homme qui aura profondément modifié l'idée que l'on se fait de la politique aux Etats-Unis. Pour lui, la bataille des idées autour d'un programme et des campagnes basées sur des promesses ne suffisent plus à motiver les électeurs. Les records de participation des démocrates aux primaires de 2008 sont en partie dus à Hillary Clinton, première femme dans l'histoire américaine en mesure de parvenir à la présidence, mais la mobilisation sans précédent des jeunes en faveur de Barack Obama prouve que la génération montante a trouvé en lui un porte-parole, plus ouvert sur le monde et moins recroquevillé dans ses frontières partisanes.

Le pasteur Wright ayant poursuivi ses déclarations incendiaires, Barack Obama les a solennellement rejetées dans une déclaration à Winston-Salem, en Caroline du Nord, le 29 avril 2008 : « Il ne parle pas en mon nom. (...) Cela contredit tout ce que je représente. »

Grâce à son parcours étonnant, sa campagne atypique et ce discours de Philadelphie, Barack Obama pourrait donc bien devenir l'un des très rares missionnaires de la réconciliation ethnique aux États-Unis.

François Clemenceau

Discours prononcé par Barack Obama,
sénateur de l'Illinois,
candidat à l'investiture du parti démocrate
pour l'élection présidentielle,
Philadelphie, le 18 mars 2008.

———————

« Nous, le peuple, en vue de former une Union plus parfaite. »

Voici deux cent vingt et un ans, un groupe d'hommes s'est rassemblé dans une salle qui existe toujours de l'autre côté de cette rue, et, avec ces simples mots, a inauguré l'improbable aventure de la démocratie américaine. Ces fermiers et ces savants, ces hommes politiques et ces patriotes qui avaient traversé l'océan pour fuir la tyrannie et les persécutions parvinrent à donner forme à leur Déclaration d'indépendance lors d'une convention qui siégea à Philadelphie jusqu'au printemps 1787.

Le document auquel ils aboutirent fut finalement ratifié, mais il était incomplet. Il restait entaché par le péché originel de la nation, l'esclavage, sujet qui divisait les colonies et amena la Constitution dans une impasse, jusqu'à ce que les Pères fondateurs décident d'autoriser le trafic d'esclaves à se poursuivre pendant vingt ans au moins, et de confier aux générations suivantes le soin d'y mettre un terme.

Bien sûr, la réponse à la question de l'esclavage était déjà lisible à travers les lignes de notre Constitution, une Constitution qui avait à cœur l'idéal d'une égalité des citoyens devant la loi; une Constitution qui promettait à son peuple la liberté et la justice, ainsi qu'une Union qui pouvait et devait être perfectionnée au fil du temps.

Et pourtant, ces mots sur un parchemin ne devaient pas suffire à délivrer les esclaves de leurs chaînes, ni à donner aux hommes et aux femmes de toute couleur et de toute croyance leurs pleins droits et leurs pleins devoirs en tant que citoyens des Etats-Unis.

Il faudrait encore des générations et des génération d'Américains qui s'engagent – en manifestant et en luttant, dans les rues et dans les tribunaux, dans une guerre civile et dans la désobéissance civique, toujours au prix de grands risques – afin de combler le fossé entre la promesse de nos idéaux et la réalité de leur temps.

L'une des tâches que nous nous sommes fixées au début de cette campagne fut donc de poursuivre la longue marche de ceux qui nous avaient précédés, une marche vers une Amérique plus juste, plus égalitaire, plus libre, plus soucieuse du sort de chacun et plus prospère. Si j'ai choisi de me présenter à l'élection présidentielle à ce moment de notre histoire, c'est parce que je crois profondément que nous ne pourrons résoudre les défis de notre temps et parfaire notre union qu'en comprenant que, si nos parcours sont différents, nous avons les mêmes espoirs ; que, si nous n'avons pas tous la même apparence et si nous ne venons pas tous du même endroit, nous voulons tous aller dans la même direction : vers un avenir meilleur pour nos enfants et nos petits-enfants.

Cette conviction me vient d'une foi inébranlable dans la dignité et la générosité du peuple américain. Elle me vient également de ma propre histoire d'Américain.

Je suis le fils d'un homme noir du Kenya et d'une femme blanche du Kansas. J'ai été en partie élevé par un grand-père qui a survécu à la Grande Dépression pour aller servir dans l'armée de Patton lors de la Deuxième Guerre mondiale, et, durant son éloignement outre-mer, par une grand-mère blanche qui était ouvrière à la chaîne dans une usine de bombardiers à Fort Leavenworth. J'ai fréquenté les meilleures écoles d'Amérique et vécu dans un des pays les plus pauvres du monde. J'ai épousé une Noire américaine qui porte en elle le sang des esclaves et de leurs maîtres, héritage que nous avons transmis à nos deux filles chéries. J'ai des frères, des sœurs, des nièces, des neveux, des oncles et des cousins de toute race et de toute couleur, dispersés sur trois continents, et, aussi longtemps que je vivrai, je n'oublierai jamais que nul autre pays au monde n'aurait rendu mon histoire possible.

C'est une histoire qui ne fait pas de moi le candidat le plus conventionnel. Mais c'est une histoire qui a inscrit dans mes gènes l'idée que cette nation est bien plus que la somme de ses individus, que, tous autant que nous sommes, nous ne faisons qu'un.

Tout au long de cette première année de campagne, envers et contre tous les pronostics, nous avons constaté à quel point les Américains avaient soif de ce message d'unité. Bien que l'on ait été tenté de juger ma candidature à travers un prisme exclusivement racial, nous avons remporté des victoires sans appel dans des États parmi les plus blancs du pays. En Caroline du Sud, où flotte encore le drapeau des Confédérés, nous avons forgé une coalition puissante d'Afro-Américains et d'Américains blancs. Cela ne veut pas dire que l'appartenance raciale n'a joué aucun rôle dans la campagne. A plusieurs reprises depuis qu'elle a commencé, des commentateurs m'ont jugé ou « trop noir » ou « pas assez noir ». Nous avons vu émerger des tensions raciales au cours de la semaine qui a précédé la primaire de Caroline du Sud. Les médias ont décortiqué chaque sondage de sortie des urnes à la recherche de la moindre preuve de polarisation ethnique, non seulement entre Noirs et Blancs, mais encore entre Noirs et métis.

Malgré cela, la question raciale n'est devenue un facteur de division que depuis deux semaines.

D'un côté, on a laissé entendre que ma candidature était, d'une façon ou d'une autre, un exercice de discrimination positive, qu'elle était fondée sur le désir de quelques naïfs gauchisants de s'offrir une réconciliation raciale à peu de frais. A l'autre extrémité, on a entendu mon ancien pasteur, le révérend Jeremiah Wright, exprimer dans un langage incendiaire des opinions qui risquent d'aggraver la division raciale, et qui, de plus, dénigrent ce qu'il y a de grand et de bon dans notre pays. Ce qui, à juste titre, a choqué autant les Blancs que les Noirs.

J'ai déjà condamné sans équivoque les déclarations si controversées du révérend Wright. Pour certains, des questions irritantes restent en suspens. Savais-je qu'il se faisait parfois un critique féroce de la politique intérieure et de la politique étrangère américaines ? Bien sûr. M'est-il arrivé de l'entendre exprimer des points de vue contestables, lorsque j'étais assis sur les bancs de son église ? Oui. Etais-je fortement en désaccord avec nombre de ses opinions politiques ? Absolument – tout comme, j'en suis sûr, beaucoup d'entre vous ont entendu des remarques de leurs pasteurs, de leurs prêtres ou de leurs rabbins qu'ils désapprouvaient au plus haut point.

Mais les déclarations à l'origine de ce récent tollé ne relevaient pas seulement de la polémique. Il ne s'agissait pas de la simple tentative d'un homme d'Eglise d'exprimer haut et fort un sentiment d'injustice. Tout au contraire, elles reflétaient une vision profondément erronée de ce pays – une vision selon laquelle le racisme des Blancs est endémique et qui met l'accent sur ce qui va mal en Amérique plutôt que sur ce qui va bien ; une vision selon laquelle Israël, l'un de nos plus solides alliés, serait à l'origine des conflits du Proche-Orient plutôt que les idéologies perverses et haineuses de l'islam radical. Le révérend Jeremiah Wright ne fait pas que se tromper : ses propos sèment la discorde à une heure où nous avons besoin d'unité ; des propos centrés sur la race au moment où nous avons besoin de nous unir pour résoudre une série de problèmes considérables : deux guerres, une menace terroriste, une économie défaillante, une crise chronique du système de santé et un changement climatique potentiellement dévastateur. Autant de problèmes qui ne sont ni noirs ni blancs, ni hispaniques ni asiatiques, mais des problèmes qui nous concernent tous.

Compte tenu de mon parcours, de mes idées politiques, des valeurs et des idéaux que je professe, il y aura toujours des hommes pour juger que je ne suis pas allé assez loin dans ma condamnation. Pour commencer, pourquoi ai-je choisi le révérend Jeremiah Wright ? demandent-ils ; pourquoi ne pas changer d'Église ? Je réagirais de la même façon si tout ce que je sais du révérend Wright se résumait aux bribes de ses sermons qui passent en boucle à la télévision et sur YouTube, ou si la Trinity United Church of Christ ressemblait aux caricatures que colportent certains commentateurs.

La vérité est que tout cela ne dit en rien ce que je sais de cet homme. Cet homme, je l'ai rencontré voici plus de vingt ans, et il m'a aidé à découvrir ma foi chrétienne ; c'est un homme qui m'a parlé du devoir d'aimer mon prochain, de prendre soin des malades et de venir en aide aux pauvres. C'est un homme qui a servi son pays dans le corps des Marines ; qui a étudié et enseigné dans les meilleures universités et les meilleurs séminaires du pays ; qui, pendant plus de trente ans, a dirigé une Église au service de la communauté en accomplissant ici-bas ce que nous demande Dieu : loger les sans-abri, assister les nécessiteux, ouvrir des crèches, attribuer des bourses d'études, rendre visite aux prisonniers et apporter du réconfort aux séropositifs et aux malades atteints du sida.

Dans mon livre, *Les Rêves de mon père*, je raconte l'expérience de mon premier office religieux à l'Église de la Trinity :

« L'assistance se mit à crier, à se lever, à taper dans ses mains et à pleurer, et le vent puissant de son souffle emportait la voix du révérend jusqu'à la charpente. (...) Et dans cette simple note – l'espoir ! – j'entendis autre chose. Au pied de cette croix, à l'intérieur des milliers d'églises de la ville, je vis l'histoire de Noirs ordinaires se fondre avec celle de David et Goliath, celle de Moïse et Pharaon, celle des chrétiens jetés dans la fosse aux

*lions et celle d'Ezéchiel dans la vallée des Osse-
ments.*

*Ces histoires de survie, de liberté et d'espoir de-
venaient notre histoire, mon histoire ; le sang qui
avait été versé était notre sang, les larmes étaient
nos larmes. Cette église noire, en cette belle journée, était redevenue un vaisseau transportant
l'histoire d'un peuple vers les générations futures et
vers un monde plus vaste. Nos luttes et nos triom-
phes devenaient soudain uniques et universels,
noirs et plus que noirs. En faisant la chronique de
notre voyage, ces histoires et ces chants nous don-
naient le moyen de revendiquer des souvenirs dont
nous n'avions pas à avoir honte (...), des souvenirs
que tout le monde pouvait étudier et chérir pour
pouvoir commencer à reconstruire. »*

Telle a été mon expérience à Trinity.
Comme beaucoup d'Églises majoritairement
noires, Trinity résume la communauté noire
dans son ensemble : on y retrouve le médecin
et la mère de famille vivant des subventions
sociales, l'étudiant modèle et le voyou des
gangs repenti. Comme dans toutes les autres
Églises noires, les services religieux de Trinity
résonnent de rires à gorge déployée et, parfois,

de plaisanteries osées. Et on danse, on tape dans les mains, on crie et on hurle, toutes choses qui peuvent paraître incongrues à une oreille novice. Cette Église contient tout : la tendresse et la cruauté, l'intelligence la plus intense et l'ignorance la plus choquante, les combats et les réussites, l'amour et, oui, l'amertume et les préjugés, qui sont parties intégrantes de l'expérience des Noirs en Amérique.

Cela aidera sans doute à comprendre mes rapports avec le révérend Wright. Aussi imparfait soit-il, je le considère comme un membre de ma famille. Il a raffermi ma foi, célébré mon mariage et baptisé mes enfants. Dans aucune de nos conversations, je ne l'ai entendu parler de quelque groupe ethnique que ce soit en termes péjoratifs, ni faire montre d'autre chose que de respect et de courtoisie envers les Blancs qu'il fréquente. Il incarne les contradictions mêmes, le bon comme le mauvais, d'une communauté qu'il sert sans se ménager depuis tant d'années.

Je ne peux pas plus le renier que je ne peux renier la communauté noire. Je ne peux pas plus le renier que je ne peux renier ma grand-mère blanche, une femme qui a participé à mon éducation, une femme qui a sacrifié tant et tant pour moi, une femme qui m'aime plus que tout au monde, mais aussi une femme qui m'a un jour avoué qu'elle avait peur des Noirs qu'elle croisait dans la rue, une femme qui, plus d'une fois, a émis des remarques racistes qui m'écœuraient.

Ces gens-là font partie de moi-même. Ils font partie de l'Amérique, ce pays que j'aime.

Certains verront ici une tentative de justifier ou d'excuser des propos inexcusables. Je peux vous assurer qu'il n'en est rien. Je suppose qu'il serait politiquement plus prudent de continuer comme si de rien n'était en espérant que cette affaire finira par se dissiper.

Nous pourrions ne plus faire cas du révérend Wright en le présentant comme un excentrique ou un démagogue, à l'image de ceux qui ont dit de Geraldine Ferraro, à la suite de ses récentes déclarations, qu'elle souffrait d'un préjugé racial primaire.

Je crois cependant que notre nation, aujourd'hui, ne peut pas se permettre d'ignorer la question raciale. Nous commettrions la même erreur que le révérend Wright dans ses offensants sermons sur l'Amérique, en simplifiant les choses, en recourant à des stéréotypes et en grossissant le trait jusqu'à déformer la réalité.

Il est certain que les commentaires qui ont été faits et les thèmes qui ont surgi ces dernières semaines reflètent les aspects complexes du problème racial dans le pays, que nous n'avons jamais vraiment résolu – une partie de notre Union qu'il nous reste encore à parfaire. Et si nous lâchons prise maintenant, si chacun se réfugie dans son coin, nous n'arriverons jamais à nous unir pour surmonter les défis de l'assurance santé, de l'éducation et de la nécessaire création d'emplois solides pour chaque Américain.

Pour comprendre cette réalité, il est nécessaire de se rappeler comment nous en sommes arrivés là. Comme l'a écrit William Faulkner : « Le passé n'est pas mort et enterré. En fait, il n'est même pas passé. » Nous n'avons nul besoin de raconter l'histoire de l'injustice raciale dans ce pays. Nous devons simplement nous rappeler que, si tant de disparités existent dans la communauté afro-américaine d'aujourd'hui, c'est qu'elles proviennent en droite ligne d'inégalités transmises par une génération antérieure, qui a elle-même souffert de l'héritage brutal de l'esclavage et de Jim Crow.

La ségrégation scolaire a produit et produit encore des écoles inférieures. Cinquante ans après l'arrêt « Brown contre le *Board of Education* », rien n'a changé, et l'éducation de qualité inférieure que dispensent ces écoles permet d'expliquer les flagrants écarts de réussite entre les étudiants blancs et noirs d'aujourd'hui.

La discrimination légale – par laquelle on empêchait les Noirs, et souvent au moyen de méthodes violentes, d'accéder à la propriété, par laquelle on refusait des crédits aux entrepreneurs afro-américains, par laquelle on interdisait aux propriétaires noirs le droit d'emprunter auprès de la FHA[1], par laquelle on excluait des Noirs des syndicats, de la

---

1. *Federal Housing Administration*, agence fédérale assurant les prêts immobiliers. *(N.d.T.)*

police ou des casernes de pompiers – a eu pour conséquence l'incapacité pour les familles noires de pouvoir accumuler un patrimoine décent à transmettre aux générations suivantes. Cette histoire permet d'expliquer l'écart de richesse et de revenus entre Noirs et Blancs, ainsi que la concentration des poches de pauvreté qui persistent au sein de tant de communautés urbaines et rurales.

Le manque de débouchés, la honte et la frustration de ne pouvoir subvenir aux besoins de leur famille, ont contribué à défaire le lien familial chez les Noirs – un problème que la politique d'aide sociale, pendant des années, a peut-être aggravé. Le manque de services publics de base dans un si grand nombre de quartiers noirs – des aires de jeux pour les enfants, des patrouilles de police, le ramassage régulier des ordures et l'application des codes d'urbanisme, tout cela a contribué à créer un cycle de violence, un gâchis et des négligences qui continuent à nous hanter.

C'est la réalité dans laquelle le révérend Wright et d'autres Afro-Américains de sa génération ont grandi. Ils sont devenus adultes à la fin des années 50 et au début des années 60, époque où la ségrégation était encore en vigueur et les perspectives d'avenir systématiquement réduites. Ce qui est remarquable, ce n'est pas tant le nombre de ceux qui ont échoué à cause de la discrimination, mais plutôt le nombre d'hommes et de femmes qui ont réussi à défier le sort et, partant de rien, à ouvrir la voie à ceux, qui, comme moi, ont pris leur suite.

Mais pour tous ceux qui se sont dépensés sans compter afin d'obtenir leur part du Rêve américain, bien d'autres n'y sont pas parvenus : ceux qui ont été finalement vaincus, d'une façon ou d'une autre, par la discrimination. Cette expérience de l'échec a été léguée aux générations suivantes : ces jeunes hommes et, de plus en plus souvent, ces jeunes femmes que l'on voit au coin des rues ou qui croupissent au fond de nos prisons, sans espoir ni perspective d'avenir. Même pour les Noirs qui s'en sont sortis, les questions de race et de racisme continuent de définir fondamentalement leur vision du monde. Pour les hommes et les femmes de la génération du révérend Wright, la mémoire de l'humiliation, du doute et de la peur n'a pas disparu, pas plus que la colère et l'amertume de ces années-là. Cette colère ne s'exprime peut-être pas en public, devant des collègues ou des amis blancs, mais on l'entend chez le coiffeur ou autour de la table familiale. Parfois, cette colère est exploitée par les hommes politiques pour gagner des voix en jouant la carte raciale ou, chez certains, pour masquer leurs échecs.

Et il lui arrive de trouver une voix, le dimanche matin, à l'église, du haut de la chaire ou sur les bancs des fidèles. Que tant de gens aient été surpris d'entendre cette colère dans certains sermons du révérend Wright nous rappelle cette évidence : le moment où la ségrégation reste la plus vivace dans la vie d'un Américain, c'est le dimanche matin, à l'église. Cette colère n'est pas toujours efficace. De fait, bien trop souvent, elle nous détourne des vrais problèmes, nous empêche d'affronter honnêtement notre part de responsabilité dans ce qui nous est arrivé et prive la communauté afro-américaine des alliances indispensables à un vrai changement. Mais la colère est réelle ; elle est puissante ; et souhaiter qu'elle disparaisse purement et simplement, la condamner sans en comprendre les racines ne sert qu'à creuser le fossé d'incompréhension entre les races.

En fait, une colère comparable se manifeste dans certaines couches de la communauté blanche. La plupart des Américains de la classe ouvrière et de la classe moyenne blanche n'ont pas l'impression d'avoir été spécialement favorisés par leur appartenance raciale. Leur expérience, c'est celle de l'immigrant – dans leur cas, rien ne leur a été donné, ils sont partis de rien. Ils ont travaillé dur toute leur vie, souvent pour voir leur emploi délocalisé et leur retraite dévaluée après une vie de labeur. Ils sont inquiets pour leur avenir, ils voient leurs rêves s'évanouir. Dans une période de salaires plafonnés et de concurrence mondiale, les chances de s'en sortir sont perçues comme un jeu à somme nulle, où les rêves de l'un se réalisent aux dépens de l'autre.

Alors, quand on leur demande, pour favoriser la déségrégation, de faire prendre à leurs enfants un bus qui les amènera dans une école à l'autre bout de la ville, quand on leur apprend qu'un Afro-Américain décroche un bon emploi ou un poste dans une bonne université en raison d'une injustice dont ils ne sont en rien responsables, quand on leur explique que leur peur de la criminalité dans les banlieues est une forme de préjugé, la rancœur s'accumule.

De même que la colère au sein de la communauté noire ne s'exprime pas toujours en public, de même cette rancœur-là ne s'exprime pas publiquement. Elle contribue pourtant à façonner le paysage politique depuis au moins une génération. C'est la colère envers la politique d'assistance de l'Etat-Providence et la politique de discrimination positive qui ont donné naissance à la coalition Reagan. Les hommes politiques ont très souvent exploité la peur de l'insécurité à des fins électorales. Les animateurs des talk-shows et les commentateurs conservateurs se sont bâti des carrières en démasquant des accusations mensongères de racisme tout en assimilant les légitimes débats sur l'injustice et les inégalités raciales à du politiquement correct ou du racisme à l'envers.

De même que la colère noire s'est souvent révélée contre-productive, de même, la rancœur des Blancs a détourné l'attention des véritables responsables de l'étranglement de la classe moyenne : une certaine culture d'entreprise faites de délits d'initiés, de pratiques comptables douteuses et de course à l'argent facile ; une capitale, Washington, sous la coupe des lobbyistes et des groupes d'intérêts privés ; une politique économique qui favorise une minorité au détriment du plus grand nombre. Et pourtant, souhaiter voir disparaître la rancœur des Blancs, la qualifier de malintentionnée, voire de raciste, sans reconnaître qu'elle peut avoir des causes légitimes, cela aussi contribue à élargir la division raciale et à paralyser toute capacité à se comprendre.

Voilà où nous en sommes : dans une impasse raciale où nous demeurons enfermés depuis des années. Contrairement à ce que disent certains de mes critiques, blancs ou noirs, je n'ai jamais eu la naïveté de croire que nous pourrions régler nos différends raciaux le temps d'un mandat présidentiel, ou du seul fait d'une candidature, une candidature aussi imparfaite que la mienne. Mais j'ai affirmé ma conviction profonde – une conviction ancrée dans ma foi en Dieu et dans le peuple américain : en travaillant ensemble, nous arriverons à panser quelques-unes de nos vieilles blessures raciales, car, en réalité nous n'avons pas d'autre choix si nous voulons continuer à avancer en direction d'une Union plus parfaite.

Pour la communauté afro-américaine, cela signifie qu'il faut accepter les fardeaux de notre passé sans en devenir les victimes. Cela veut dire continuer à exiger une pleine justice dans tous les aspects de la vie américaine. Mais cela signifie également associer nos propres revendications – une meilleure assurance maladie, de meilleures écoles, de meilleurs emplois – aux aspirations de tous les Américains, qu'il s'agisse de la femme blanche qui se débat pour gravir les échelons dans son entreprise, de l'homme blanc qui a été licencié ou de l'immigrant qui s'efforce de nourrir sa famille.

Cela veut aussi dire assumer pleinement les responsabilités de nos vies – en exigeant davantage de nos pères, en passant plus de temps avec nos enfants, en leur lisant des livres et en leur apprenant que, même s'il leur arrivera peut-être de devoir faire face à des obstacles et à la discrimination, ils ne doivent pas succomber au désespoir et au cynisme : ils doivent toujours croire qu'ils peuvent être maîtres de leur destin.

L'ironie est que cette notion si fondamentalement américaine – et, oui, conservatrice – selon laquelle on doit s'aider soi-même, on la retrouve souvent dans les sermons du révérend Wright. Mais ce que mon ancien pasteur n'a pas franchement compris, c'est qu'on ne peut pas se lancer dans une pareille entreprise sans croire que la société peut changer.

L'erreur profonde du révérend Wright n'est pas d'avoir parlé du racisme dans notre société. C'est d'en avoir parlé comme si notre société était figée, comme si nous n'avions accompli aucun progrès, comme si ce pays, où un Noir peut être candidat à la fonction suprême et bâtir une coalition de Blancs et de Noirs, d'Hispaniques et d'Asiatiques, de riches et de pauvres, de jeunes et de vieux, était encore prisonnier d'un passé tragique. Ce que nous savons, pour l'avoir vu, c'est que l'Amérique peut changer. C'est le vrai génie de cette nation. Ce que nous avons déjà accompli nous donne de l'espoir, nous donne l'audace d'espérer, pour ce que nous pouvons et devons demain réussir.

Pour ce qui est de la communauté blanche, la voie vers une Union plus parfaite suppose de reconnaître que ce qui fait souffrir la communauté afro-américaine n'est pas le produit de l'imagination des Noirs, que l'héritage de la discrimination et les éléments actuels de discrimination – même si elle est moins criante que par le passé – existent et doivent être combattus. Non seulement par des mots, mais par des actes : en investissant dans nos écoles et dans nos communautés, en faisant respecter les droits civiques et en garantissant une justice pénale plus équitable, en donnant à cette génération les moyens et les chances de s'en sortir, ce qui faisait défaut aux générations précédentes. Les Américains doivent comprendre que les rêves de l'un ne doivent pas se réaliser au détriment des rêves de l'autre, qu'investir dans la santé, les programmes sociaux et l'éducation des enfants noirs, métis et blancs contribuera à la prospérité de l'Amérique tout entière.

En somme, ce que l'on attend de nous n'est ni plus ni moins ce que toutes les grandes religions du monde exigent : que nous nous comportions envers les autres comme nous aimerions qu'ils se comportent envers nous. Sois le gardien de ton frère, disent les Ecritures. Soyons le gardien de notre sœur. Trouvons ensemble le dénominateur commun qui nous rassemble et faisons en sorte que notre vie politique reflète cet état d'esprit.

Car nous avons un choix à faire dans ce pays. Nous pouvons accepter une politique qui engendre la division, les conflits et le cynisme. Nous pouvons voir dans la question raciale un simple spectacle – comme ce fut le cas pendant le procès d'O.J. Simpson, ou à chaque fois qu'une tragédie survient – comme ce fut le cas après Katrina – ou comme l'ingrédient indispensable des journaux du soir à la télévision. Nous pouvons diffuser tous les jours les sermons du révérend Wright sur toutes les chaînes, en discuter jusqu'au jour de l'élection et réduire la campagne à la seule question de savoir si, oui ou non, les Américains pensent que je cautionne ses déclarations les plus offensantes. Nous pouvons exploiter la moindre maladresse d'un partisan d'Hillary et y voir la preuve qu'elle joue la carte raciale, nous pouvons spéculer pour savoir si les électeurs blancs voteront ou non en masse pour John McCain en novembre, quel que soit son programme politique.

Oui, nous pouvons le faire.

Mais dans ce cas, je vous garantis qu'aux prochaines élections, nous trouverons un autre sujet de diversion. Puis un autre. Puis encore un autre. Et rien ne changera.

C'est une possibilité. A moins que, dès à présent, pour cette élection, nous disions ensemble : « Cette fois, c'est non. » Cette fois, nous voulons parler des écoles délabrées qui volent l'avenir de nos enfants, les enfants noirs, les enfants blancs, les enfants asiatiques, les enfants hispaniques et les enfants amérindiens. Cette fois, nous voulons dire non au cynisme ambiant selon lequel ces enfants seraient incapables de rien apprendre, selon lequel, après tout, ces enfants qui ne nous ressemblent pas sont le problème des autres. Les enfants d'Amérique ne sont pas ces enfants-là, ce sont les nôtres et nous ne les abandonnerons pas face aux défis de l'économie du XXIe siècle. Pas cette fois.

Cette fois, nous voulons parler des files d'attente aux urgences peuplées de Blancs, de Noirs et d'Hispaniques qui n'ont pas d'assurance santé et ne peuvent s'attaquer seuls aux groupes de pression de Washington, mais qui y arriveront si nous nous y mettons tous ensemble.

Cette fois, nous voulons parler des usines qu'on a fermées alors qu'elles faisaient vivre honnêtement des hommes et des femmes de toute race, des maisons qui sont à vendre alors qu'elles appartenaient hier encore à des Américains de toute religion, de toute région et de toute profession.

Cette fois, nous voulons dire que le vrai problème, ce n'est pas que quelqu'un qui ne nous ressemble pas puisse prendre notre travail, mais que l'entreprise pour laquelle nous travaillons va délocaliser dans le seul but de faire du profit.

Cette fois, nous voulons parler des hommes et des femmes de toute couleur et de toute croyance qui sont engagés ensemble dans l'armée, combattent ensemble et versent ensemble leur sang sous le même fier drapeau. Nous voulons parler du moyen de les ramener à la maison après une guerre qui n'aurait jamais dû être autorisée ni déclenchée. Et nous voulons parler de la façon d'illustrer notre patriotisme en prenant soin d'eux et de leurs familles et en leur versant les allocations auxquelles ils ont droit.

Je ne me présenterais pas à l'élection présidentielle si je ne croyais pas du fond du cœur que c'est ce que veut l'immense majorité des Américains pour ce pays. Cette Union ne sera peut-être jamais parfaite mais, génération après génération, elle a montré qu'elle pouvait se parfaire. Et aujourd'hui, chaque fois que cette possibilité me laisse sceptique ou cynique, c'est la pensée de la génération à venir qui me redonne le plus d'espoir : ces jeunes dont les attitudes, les croyances et l'ouverture d'esprit sont déjà, avec cette élection, entrées dans l'Histoire.

Il y a une histoire que j'aimerais partager avec vous aujourd'hui, une histoire que j'ai eu l'honneur de raconter lors de la commémoration de la naissance de Martin Luther King à Ebenezer, sa paroisse baptiste d'Atlanta.

Une jeune femme blanche de vingt-trois ans, du nom d'Ashley Baia, travaillait pour notre équipe de campagne à Florence, en Caroline du Sud. Elle avait été chargée dès le début de mobiliser une communauté majoritairement afro-américaine. Un jour, elle s'est retrouvée à une table ronde où chacun, tour à tour, racontait son parcours et pourquoi il était là. Et Ashley a dit que, lorsqu'elle avait 9 ans, sa mère avait été atteinte d'un cancer. Et, parce qu'elle avait été absente plusieurs jours à son travail, elle avait été licenciée et avait perdu son assurance maladie. Elle avait dû se mettre en faillite personnelle. C'est alors qu'Ashley avait décidé qu'elle se devait de faire quelque chose pour aider sa maman.

Elle savait que la nourriture était ce qui leur coûtait le plus cher. Et donc, Ashley a convaincu sa mère qu'elle n'aimait rien de plus que les sandwichs à la moutarde et aux cornichons. Parce que c'était ce qu'il y avait de moins cher. Elle en a donc mangé pendant un an, jusqu'à ce que sa maman aille mieux. Et elle a dit à tout le monde, à la table ronde, que la raison pour laquelle elle s'était engagée dans la campagne, c'était pour venir en aide aux millions d'enfants du pays qui, eux aussi, veulent et doivent aider leurs parents.

Ashley aurait pu agir différemment. Quelqu'un, à un moment donné, lui a peut-être dit que la cause des ennuis de sa mère c'étaient les Noirs, trop paresseux pour travailler et qui vivent des allocations sociales, ou bien les Hispaniques qui entrent clandestinement dans le pays. Elle a préféré chercher des alliés avec qui combattre l'injustice.

En tout cas, Ashley termine son histoire, fait le tour de l'assemblée et demande à chacun pour quels motifs il s'est engagé dans la campagne. Chacun a des histoires et des raisons différentes. Beaucoup évoquent tel ou tel thème de campagne. Pour finir, c'est le tour d'un vieillard noir qui est resté tranquillement dans son coin depuis le début. Ashley lui demande pourquoi il est là. Il ne mentionne aucun point précis. Il n'évoque ni l'assurance maladie, ni l'économie. Il ne parle ni d'éducation ni de guerre. Il ne dit pas qu'il est venu à cause de Barack Obama. Il dit simplement à tous les membres de l'assistance : « Je suis ici à cause d'Ashley. »

« Je suis ici à cause d'Ashley. » A elle seule, cette affinité d'un instant entre cette jeune fille blanche et ce vieillard noir ne suffit pas. Elle ne parviendra pas à donner une assurance santé aux malades, du travail à ceux qui n'en ont pas ou une éducation à nos enfants.

Mais c'est de là que nous partons. C'est à partir de là que notre Union peut devenir plus forte. Et, comme tant de générations l'ont compris tout au long des deux cent vingt et une années écoulées depuis la signature de ce document à Philadelphie par une poignée de patriotes, c'est là que la perfection commence.

A More Perfect Union

"We the people, in order to form a more perfect union."

Two hundred and twenty one years ago, in a hall that still stands across the street, a group of men gathered and, with these simple words, launched America's improbable experiment in democracy. Farmers and scholars; statesmen and patriots who had traveled across an ocean to escape tyranny and persecution finally made real their declaration of independence at a Philadelphia convention that lasted through the spring of 1787.

The document they produced was eventually signed but ultimately unfinished. It was stained by this nation's original sin of slavery, a question that divided the colonies and brought the convention to a stalemate until the founders chose to allow the slave trade to continue for at least twenty more years, and to leave any final resolution to future generations.

Of course, the answer to the slavery question was already embedded within our Constitution – a Constitution that had at its very core the ideal of equal citizenship under the law: a Constitution that promised its people liberty, and justice, and a union that could be and should be perfected over time.

And yet words on a parchment would not be enough to deliver slaves from bondage, or provide men and women of every color and creed their full rights and obligations as citizens of the United States. What would be needed were Americans in successive generations who were willing to do their part – through protests and struggle, on the streets and in the courts, through a civil war and civil disobedience and always at great risk – to narrow that gap between the promise of our ideals and the reality of their time.

This was one of the tasks we set forth at the beginning of this campaign – to continue the long march of those who came before us, a march for a more just, more equal, more free, more caring and more prosperous America. I chose to run for the presidency at this moment in history because I believe deeply that we cannot solve the challenges of our time unless we solve them together – unless we perfect our union by understanding that we may have different stories, but we hold common hopes; that we may not look the same and we may not have come from the same place, but we all want to move in the same direction – towards a better future for our children and our grandchildren.

This belief comes from my unyielding faith in the decency and generosity of the American people. But it also comes from my own American story.

I am the son of a black man from Kenya and a white woman from Kansas. I was raised with the help of a white grandfather who survived a Depression to serve in Patton's

Army during World War II and a white grandmother who worked on a bomber assembly line at Fort Leavenworth while he was overseas. I've gone to some of the best schools in America and lived in one of the world's poorest nations. I am married to a black American who carries within her the blood of slaves and slaveowners – an inheritance we pass on to our two precious daughters. I have brothers, sisters, nieces, nephews, uncles and cousins, of every race and every hue, scattered across three continents, and for as long as I live, I will never forget that in no other country on Earth is my story even possible.

It's a story that hasn't made me the most conventional candidate. But it is a story that has seared into my genetic makeup the idea that this nation is more than the sum of its parts – that out of many, we are truly one.

Throughout the first year of this campaign, against all predictions to the contrary, we saw how hungry the American people were for this message of unity. Despite the temptation to view my candidacy through a purely racial lens, we won commanding victories in states with some of the whitest populations in the country. In South Carolina, where the Confederate Flag still flies, we built a powerful coalition of African Americans and white Americans.

This is not to say that race has not been an issue in the campaign. At various stages in the campaign, some commentators have deemed me either "too black" or "not black enough." We saw racial tensions bubble to the surface during the week before the South Carolina primary. The press has scoured every exit poll for the latest evidence of racial polarization, not just in terms of white and black, but black and brown as well.

And yet, it has only been in the last couple of weeks that the discussion of race in this campaign has taken a particularly divisive turn.

On one end of the spectrum, we've heard the implication that my candidacy is somehow an exercise in affirmative action; that it's based solely on the desire of wide-eyed liberals to purchase racial reconciliation on the cheap. On the other end, we've heard my former pastor, Reverend Jeremiah Wright, use incendiary language to express views that have the potential not only to widen the racial divide, but views that denigrate both the greatness and the goodness of our nation; that rightly offend white and black alike.

I have already condemned, in unequivocal terms, the statements of Reverend Wright that have caused such controversy. For some, nagging questions remain. Did I know him to be an occasionally fierce critic of American domestic and foreign policy? Of course. Did I ever hear him make remarks that could be considered controversial while I sat in church? Yes. Did I strongly disagree with many of his political views? Absolutely – just as I'm sure many of you have heard remarks from your pastors, priests, or rabbis with which you strongly disagreed.

But the remarks that have caused this recent firestorm weren't simply controversial. They weren't simply a religious leader's effort to speak out against perceived injustice. Instead, they expressed a profoundly distorted view of this country – a view that sees white racism as endemic, and that elevates what is wrong with America above all that we know is right with America; a view that sees the conflicts in the Middle East as rooted primarily in the actions of stalwart allies like Israel, instead of emanating from the perverse and hateful ideologies of radical Islam.

As such, Reverend Wright's comments were not only wrong but divisive, divisive at a time when we need unity; racially charged at a time when we need to come together to solve a set of monumental problems – two wars, a terrorist threat, a falling economy, a chronic health care crisis and potentially devastating climate change; problems that are neither black or white or Latino or Asian, but rather problems that confront us all.

Given my background, my politics, and my professed values and ideals, there will no doubt be those for whom my statements of condemnation are not enough. Why associate myself with Reverend Wright in the first place? they may ask. Why not join another church? And I confess that if all that I knew of Reverend Wright were the snippets of those sermons that have run in an endless loop on the television and YouTube, or if Trinity United Church of Christ conformed to the caricatures being peddled by some commentators, there is no doubt that I would react in much the same way.

But the truth is, that isn't all that I know of the man. The man I met more than twenty years ago is a man who helped introduce me to my Christian faith, a man who spoke to me about our obligations to love one another, to care for the sick and lift up the poor. He is a man who served his country as a US Marine; who has studied and lectured at some of the finest universities and seminaries in the country, and who for over thirty years led a church that serves the community by doing God's work here on Earth – by housing the homeless, ministering to the needy, providing day care services and scholarships and prison ministries, and reaching out to those suffering from HIV/AIDS.

In my first book, *Dreams from My Father*, I described the experience of my first service at Trinity:

"People began to shout, to rise from their seats and clap and cry out, a forceful wind carrying the reverend's voice up into the rafters (...) And in that single note – hope! – I heard something else; at the foot of that cross, inside the thousands of churches across the city, I imagined the stories of ordinary black people merging with the stories of David and Goliath, Moses and Pharaoh, the Christians in the lion's den, Ezekiel's field of dry bones. Those stories – of survival, and freedom, and hope – became our story, my story; the blood that had spilled was our blood, the tears our tears; until this black church, on this bright day, seemed once more a vessel carrying the story of a people into future generations and into a larger world. Our trials and triumphs became at once unique and universal, black and more than black; in chronicling our journey, the stories and songs gave us a means to reclaim memories that we didn't need to feel shame about (...) memories that all people might study and cherish – and with which we could start to rebuild."

That has been my experience at Trinity. Like other predominantly black churches across the country, Trinity embodies the black community in its entirety – the doctor and the welfare mom, the model student and the former gang-banger. Like other black churches, Trinity's services are full of raucous laughter and sometimes bawdy humor. They are full of dancing, clapping, screaming and shouting that may seem jarring to the untrained ear. The church contains in full the kindness and cruelty, the fierce intelligence and the shocking ignorance, the struggles and successes, the love and yes, the bitterness and bias that make up the black experience in America.

And this helps explain, perhaps, my relationship with Reverend Wright. As imperfect as he may be, he has been like family to me. He strengthened my faith, officiated my wedding, and baptized my children. Not once in my conversations with him have I heard him talk about any ethnic group in derogatory terms, or treat whites with whom he interacted with anything but courtesy and respect. He contains within him the contradictions – the good and the bad – of the community that he has served diligently for so many years.

I can no more disown him than I can disown the black community. I can no more disown him than I can my white grandmother – a woman who helped raise me, a woman who sacrificed again and again for me, a woman who loves me as much as she loves anything in this world, but a woman who once confessed her fear of black men who passed by her on the street, and who on more than one occasion has uttered racial or ethnic stereotypes that made me cringe.

These people are a part of me. And they are a part of America, this country that I love.

Some will see this as an attempt to justify or excuse comments that are simply inexcusable. I can assure you it is not. I suppose the politically safe thing would be to move on from this episode and just hope that it fades into the woodwork. We can dismiss Reverend Wright as a crank or a demagogue, just as some have dismissed Geraldine Ferraro, in the aftermath of her recent statements, as harboring some deep-seated racial bias.

But race is an issue that I believe this nation cannot afford to ignore right now. We would be making the same mistake that Reverend

Wright made in his offending sermons about America – to simplify and stereotype and amplify the negative to the point that it distorts reality.

The fact is that the comments that have been made and the issues that have surfaced over the last few weeks reflect the complexities of race in this country that we've never really worked through – a part of our union that we have yet to perfect. And if we walk away now, if we simply retreat into our respective corners, we will never be able to come together and solve challenges like health care, or education, or the need to find good jobs for every American.

Understanding this reality requires a reminder of how we arrived at this point. As William Faulkner once wrote : "The past isn't dead and buried. In fact, it isn't even past." We do not need to recite here the history of racial injustice in this country. But we do need to remind ourselves that so many of the disparities that exist in the African-American community today can be directly traced to inequalities passed on from an earlier generation that suffered under the brutal legacy of slavery and Jim Crow.

Segregated schools were, and are, inferior schools; we still haven't fixed them, fifty years after Brown *vs* Board of Education, and the inferior education they provided, then and now, helps explain the pervasive achievement gap between today's black and white students.

Legalized discrimination – where blacks were prevented, often through violence, from owning property, or loans were not granted to African-American business owners, or black homeowners could not access FHA mortgages, or blacks were excluded from unions, or the police force, or fire departments – meant that black families could not amass any meaningful wealth to bequeath to future generations. That history helps explain the wealth and income gap between black and white, and the concentrated pockets of poverty that persist in so many of today's urban and rural communities.

A lack of economic opportunity among black men, and the shame and frustration that came from not being able to provide for one's family, contributed to the erosion of black families – a problem that welfare policies for many years may have worsened. And the lack of basic services in so many urban black neighborhoods – parks for kids to play in, police walking the beat, regular garbage pick-up and building code enforcement – all helped create a cycle of violence, blight and neglect that continue to haunt us.

This is the reality in which Reverend Wright and other African-Americans of his generation grew up. They came of age in the late fifties and early sixties, a time when segregation was still the law of the land and opportunity was systematically constricted. What's remarkable is not how many failed in the face of discrimination, but rather how many men and women overcame the odds; how many were able to make a way out of no way for those like me who would come after them.

But for all those who scratched and clawed their way to get a piece of the American Dream, there were many who didn't make it – those who were ultimately defeated, in one way or another, by discrimination. That legacy of defeat was passed on to future generations – those young men and increasingly young women who we see standing on street corners or languishing in our prisons, without hope or prospects for the future. Even for those blacks who did make it, questions of race, and racism, continue to define their worldview in fundamental ways. For the men and women of Reverend Wright's generation, the memories of humiliation and doubt and fear have not gone away; nor has the anger and the bitterness of those years. That anger may not get expressed in public, in front of white coworkers or white friends. But it does find voice in the barbershop or around the kitchen table. At times, that anger is exploited by politicians, to gin up votes along racial lines, or to make up for a politician's own failings.

And occasionally it finds voice in the church on Sunday morning, in the pulpit and in the pews. The fact that so many people are surprised to hear that anger in some of Reverend Wright's sermons simply reminds us of the old truism that the most segregated hour in American life occurs on Sunday morning. That anger is not always productive; indeed, all too often it distracts attention from solving real problems; it keeps us from squarely facing our own complicity in our condition, and prevents the African-American community from forging the alliances it needs to bring about real change. But the anger is real; it is powerful; and to simply wish it away, to condemn it without understanding its roots, only serves to widen the chasm of misunderstanding that exists between the races.

In fact, a similar anger exists within segments of the white community. Most working- and middle-class white Americans don't feel that they have been particularly privileged by their race. Their experience is the immigrant experience – as far as they're concerned, no one's handed them anything, they've built it from scratch. They've worked hard all their lives, many times only to see their jobs shipped overseas or their pension dumped after a lifetime of labor. They are anxious about their futures, and feel their dreams slipping away; in an era of stagnant wages and global competition, opportunity comes to be seen as a zero sum game, in which your dreams come at my expense. So when they are told to bus their children to a school across town; when they hear that an African-American is getting an advantage in landing a good job or a spot in a good college because of an injustice that they themselves never committed; when they're told that their fears about crime in urban neighborhoods are somehow prejudiced, resentment builds over time.

Like the anger within the black community, these resentments aren't always expressed in polite company. But they have helped shape the political landscape for at least a generation. Anger over welfare and affirmative action helped forge the Reagan Coalition. Politicians routinely exploited fears of crime for their own electoral ends. Talk-show hosts and conservative commentators built entire careers unmasking bogus claims of racism while dismissing legitimate discussions of racial injustice and inequality as mere political correctness or reverse racism.

Just as black anger often proved counterproductive, so have these white resentments distracted attention from the real culprits of the middle-class squeeze – a corporate culture rife with inside dealing, questionable accounting practices, and short-term greed; a Washington dominated by lobbyists and special interests; economic policies that favor the few over the many. And yet, to wish away the resentments of white Americans, to label them as misguided or even racist, without recognizing they are grounded in legitimate concerns – this too widens the racial divide, and blocks the path to understanding.

This is where we are right now. It's a racial stalemate we've been stuck in for years. Contrary to the claims of some of my critics, black and white, I have never been so naive as to believe that we can get beyond our racial divisions in a single election cycle, or with a single candidacy – particularly a candidacy as imperfect as my own.

But I have asserted a firm conviction – a conviction rooted in my faith in God and my faith in the American people – that working together we can move beyond some of our old racial wounds, and that in fact we have no choice if we are to continue on the path of a more perfect union.

For the African-American community, that path means embracing the burdens of our past without becoming victims of our past. It means continuing to insist on a full measure of justice in every aspect of American life. But it also means binding our particular grievances – for better health care, and better schools, and better jobs – to the larger aspirations of all Americans – the white woman struggling to break the glass ceiling, the white man who's been laid off, the immigrant trying to feed his family. And it means taking full responsibility for our own lives – by demanding more from our fathers, and spending more time with our children, and reading to them, and teaching them that while they may face challenges and discrimination in their own lives, they must never succumb to despair or cynicism; they must always believe that they can write their own destiny.

Ironically, this quintessentially American – and yes, conservative – notion of self-help found frequent expression in Reverend Wright's sermons. But what my former pastor too often failed to understand is that embarking on a program of self-help also requires a belief that society can change.

The profound mistake of Reverend Wright's sermons is not that he spoke about racism in our society. It's that he spoke as if our society was static; as if no progress has been made; as if this country – a country that has made it possible for one of his own members to run for the highest office in the land and build a coalition of white and black, Latino and Asian, rich and poor, young and old – is still irrevocably bound to a tragic past. But what we know – what we have seen – is that America can change. That is the true genius of this nation. What we have already achieved gives us hope – the audacity to hope – for what we can and must achieve tomorrow.

In the white community, the path to a more perfect union means acknowledging that what ails the African-American community does not just exist in the minds of black people; that the legacy of discrimination – and current incidents of discrimination, while less overt than in the past – are real and must be addressed. Not just with words, but with deeds – by investing in our schools and our communities; by enforcing our civil rights laws and ensuring fairness in our criminal justice system; by providing this generation with ladders of opportunity that were unavailable for previous generations. It requires all Americans to realize that your dreams do not have to come at the expense of my dreams; that investing in the health, welfare, and education of black and brown and white children will ultimately help all of America prosper.

In the end, then, what is called for is nothing more, and nothing less, than what all the world's great religions demand – that we do unto others as we would have them do unto us. Let us be our brother's keeper, Scripture tells us. Let us be our sister's keeper. Let us find that common stake we all have in one another, and let our politics reflect that spirit as well.

For we have a choice in this country. We can accept a politics that breeds division, and conflict, and cynicism. We can tackle race only as spectacle – as we did in the O.J. trial –

or in the wake of tragedy, as we did in the aftermath of Katrina – or as fodder for the nightly news. We can play Reverend Wright's sermons on every channel, every day, and talk about them from now until the election, and make the only question in this campaign whether or not the American people think that I somehow believe or sympathize with his most offensive words. We can pounce on some gaffe by a Hillary supporter as evidence that she's playing the race card, or we can speculate on whether white men will all flock to John McCain in the general election regardless of his policies.

We can do that.

But if we do, I can tell you that in the next election, we'll be talking about some other distraction. And then another one. And then another one. And nothing will change.

That is one option. Or, at this moment, in this election, we can come together and say, "Not this time." This time we want to talk about the crumbling schools that are stealing the future of black children and white children and Asian children and Hispanic children and Native American children. This time we want to reject the cynicism that tells us that these kids can't learn; that those kids who don't look like us are somebody else's problem. The children of America are not those kids, they are our kids, and we will not let them fall behind in a 21st century economy. Not this time.

This time we want to talk about how the lines in the Emergency Room are filled with whites and blacks and Hispanics who do not have health care; who don't have the power on their own to overcome the special interests in Washington, but who can take them on if we do it together.

This time we want to talk about the shuttered mills that once provided a decent life for men and women of every race, and the homes for sale that once belonged to Americans from every religion, every region, every walk of life. This time we want to talk about the fact that the real problem is not that someone who doesn't look like you might take your job; it's that the corporation you work for will ship it overseas for nothing more than a profit.

This time we want to talk about the men and women of every color and creed who serve together, and fight together, and bleed together under the same proud flag. We want to talk about how to bring them home from a war that never should've been authorized and never should've been waged, and we want to talk about how we'll show our patriotism by caring for them, and their families, and giving them the benefits they have earned.

I would not be running for President if I didn't believe with all my heart that this is what the vast majority of Americans want for this country. This union may never be perfect, but generation after generation has shown that it can always be perfected. And today, whenever I find myself feeling doubtful or cynical about this possibility, what gives me the most hope is the next generation – the young people whose attitudes and beliefs and openness to change have already made history in this election.

There is one story in particular that I'd like to leave you with today – a story I told when I had the great honor of speaking on Dr. King's birthday at his home church, Ebenezer Baptist, in Atlanta.

There is a young, twenty-three year old white woman named Ashley Baia who organized for our campaign in Florence, South Carolina. She had been working to organize a mostly African-American community since the beginning of this campaign, and one day she was at a roundtable discussion where everyone went around telling their story and why they were there.

And Ashley said that when she was nine years old, her mother got cancer. And because she had to miss days of work, she was let go and lost her health care. They had to file for bankruptcy, and that's when Ashley decided that she had to do something to help her mom.

She knew that food was one of their most expensive costs, and so Ashley convinced her mother that what she really liked and really wanted to eat more than anything else was mustard and relish sandwiches. Because that was the cheapest way to eat.

She did this for a year until her mom got better, and she told everyone at the roundtable that the reason she joined our campaign was so that she could help the millions of other children in the country who want and need to help their parents too.

Now Ashley might have made a different choice. Perhaps somebody told her along the way that the source of her mother's problems were blacks who were on welfare and too lazy to work, or Hispanics who were coming into that country illegally. But she didn't. She sought out allies in her fight against injustice.

Anyway, Ashley finishes her story and then goes around the room and asks everyone else why they're supporting the campaign. They all have different stories and reasons. Many bring up a specific issue. And finally they come to this elderly black man who's been sitting there quietly the entire time. And Ashley asks him why he's there. And he does not bring up a specific issue. He does not say health care or the economy. He does not say education or the war. He does not say that he was there because of Barack Obama. He simply says to everyone in the room, "I am here because of Ashley."

"I'm here because of Ashley." By itself, that single moment of recognition between that young white girl and that old black man is not enough. It is not enough to give health care to the sick, or jobs to the jobless, or education to our children.

But it is where we start. It is where our union grows stronger. And as so many generations have come to realize over the course of the two-hundred and twenty one years since a band of patriots signed that document in Philadelphia, that is where the perfection begins.

Table

Dans la même collection